Cézanne

"Cézanne n'a qu'à poser une touche de couleur; ce n'est rien et c'est beau."

Auguste Renoir

"... un grand et solide garçon perché sur des jambes un peu grêles. Il marchait d'un pas rythmé, tenant la tête droite comme s'il regardait l'horizon. Son visage noble, entouré d'une barbe frisée, rappelait les figures des dieux assyriens ... Il avait généralement l'air grave, mais quand il parlait ses traits s'animaient et une mimique expressive accompagnait ses paroles prononcées d'une voix forte et bien timbrée." C'est ainsi qu'en 1870 le critique Georges Rivière parlait de Cézanne. Paul Cézanne est né à Aix-en-Provence le 10 janvier 1839, d'une famille de la bourgeoisie aisée de la ville. Son père, propriétaire d'une industrie chapelière, eut aussi l'occasion de renflouer une banque en déconfiture, ce qui lui permit de faire également fortune dans la finance. Paul fait de bonnes études classiques au lycée, où il se lie de profonde amitié avec le futur écrivain Emile Zola, et un prolongement d'études universitaires en lettres et en droit qu'il ne put terminer car sa passion picturale était du genre à ne supporter aucun partage. Toute sa vie d'ailleurs ne sera commandée que par cette seule idée et ni les événements sociaux, ni la guerre qui en 1870 déchira la France, ni la période politique tourmentée que connut le Pays du vivant de Cézanne, ni non plus les circonstances familiales, n'auront sur lui la moindre influence tant il liait le sens de sa vie uniquement à la peinture, sans aucun fléchissement dans l'acte continu de la création. Et, se comparant à l'amandier qui donne immanquablement ses fruits à chaque saison, il reconnaît en lui-même cette pulsion intérieure, presque biologique, qui fait de la peinture son acte vital par excellence.

Sa famille, traditionaliste et assez puritaine, s'inquiéta tout d'abord de ce choix qui semblait être sans appel, mais elle dut s'y résigner et désireuse d'éviter au jeune Paul les hasards de la vie des rapins, elle lui assura les moyens nécessaires pour qu'il puisse travailler librement, débarassé de tout souci d'argent. Aucun obstacle, aucune exigence de gagner sa vie. La pension que lui accordait sa famille lui permettait de vivre avec grande dignité et le consistant héritage qu'il reçut après la mort de son père mettra Paul à l'abri non seulement de tout souci matériel, mais aussi de la tyrannie des acheteurs et des marchands. Ainsi, sous la direction de son maître Gilbert, le jeune Cézanne apprit les premiers rudiments de la peinture à l'Ecole des Beaux-Arts d'Aix-en-Provence. Son désir pourtant, qui est d'ailleurs celui de tous les artistes de province, était de monter à Paris où son ami d'enfance Zola, qui l'y avait précédé, l'appelait à grands cris. Le premier séjour de Paul Cézanne dans la capitale eut lieu dans la vingt-deuxième année de l'artiste, d'avril à septembre 1861, et il fut décevant. Après avoir admiré les chefs-d'oeuvres des grands maîtres du Louvre et s'être rendu au Salon, qui se tenait à cette même époque, Paul rentra à Aix découragé de sa peinture et doutant de son art. Cette même année, dans une let-

tre à Baille du 10 juin, son ami de jeunesse Emile Zola, donnera de lui un jugement marquant l'entière incompréhension de l'écrivain et qui blessera Cézanne profondément: "Il est d'une seule pièce, raide et dur sous la main, rien ne le plie, rien ne peut lui arracher une concession. Si par hasard il avance un avis contraire et que je le discute, il s'emporte sans vouloir examiner, vous crie que vous n'entendez rien à la question et saute à une autre chose." Zola s'obstine à voir en Cézanne le "génie avorté", le "raté" qu'il décrira dans le héros de l'*Oeuvre*, sous les traits du peintre Lantier, et Paul souffrira de s'y reconnaître. "Le ciel de mon avenir est d'un noir absolu" dira Cézanne à cette époque et il accepte un emploi dans la banque paternelle. Cependant la passion ne le lâche pas, refusé à l'admission à l'Ecole des Beaux-Arts à Paris, il suivra alors des cours à l'Académie Suisse, un atelier privé près de Notre-Dame et plus tard, il devra essuyer un autre refus impitoyable, au Salon. De son vivant Cézanne se heurtera souvent à l'incompréhension du public, à celle des critiques et des marchands. D'ailleurs, même dans les années '20, le conservateur du Musée d'Aix-en-Provence s'estimait heureux de ne posséder aucune oeuvre du maître aixois et se déclarait hostile à l'entrée des tableaux de Cézanne dans son musée.

Les grands baigneurs - 1875-76. National Gallery, Londres

3

Pendant la guerre franco-prussienne de 1870, Cézanne, que la politique n'intéressait guère et craignant quelque trouble qui aurait pu faire changer son habitude à la peinture, s'installa à l'Estaque, un village au bord de la mer, à l'ouest de Marseille, où sa mère possédait une propriété, et dont le paysage, écrira-t-il en 1876 à Pissarro, est "comme une carte à jouer. Des toits rouges sur la mer bleue. Le soleil est si effrayant qu'il me semble que les objets s'enlèvent en silhouette, non pas seulement en blanc et en noir, mais en bleu, en rouge, en brun, en violet." À Paris, il ne retournera que lorsque les derniers canons de la Commune se seront tus.

Au cours des années qui suivirent, le peintre alternera ses séjours à Paris avec de longues périodes de méditation à Aix, car il ressentait un besoin farouche d'indépendance, répétant sans cesse, avec une éloquence populaire, qu'il ne "se laisserait pas mettre le grappin dessus." Dans la capitale il fréquente les cafés littéraires, le Guerbois en particulier, dans la Grand-Rue des Batignolles, où il fait la connaissance de peintres impressionnistes comme Monet, Bazille, Renoir, Sisley, Guillaumin et Manet. C'est avec eux, qu'il présentera ses toiles pour la première fois, du 15 avril au 15 mai 1874, à la première exposition des Impressionnistes, trente peintres en tout, avec la Société Anonyme Coopérative des Artistes peintres, Sculpteurs et Graveurs, que les Batignollais avaient décidé de constituer, en opposition au Salon, dans l'atelier du photographe Nadar au 35 du Boulevard des Capucines. Cependant l'impressionnisme ne le satisfaisait pas complètement. "Je voudrais faire de l'impressionnisme un art de musée, ce qu'il n'est pas", disait-il et il reste, dans un certain sens, éloigné de ce mouvement par son esthétique. D'ailleurs la prépondérance qu'il accordera à la sensation est fort différente des vibrations de l'oeil des Impressionnistes véritables. Et Emile Bernard a raison de dire que "loin d'être un spontané, Cézanne est un réfléchi. Son génie est un éclair en profondeur. Je ne crains pas d'affirmer que Cézanne est un peintre à tempérament mystique ... en raison de sa vision purement abstraite et esthétique des choses." Pourtant la sensation est importante pour lui: "la sensation est à la base de tout pour le peintre" disait-il et encore au poète Joachim Gasquet: "Oui, je veux savoir: savoir pour mieux sentir, sentir pour mieux savoir; je veux être un vrai classique, redevenir classique par la nature." Cette même année 1874 marquera, dans la douceur de l'Ile-de-France, la grande rencontre de Cézanne avec Pissarro, que le maître aixois considèrera toujours "quelque chose comme Dieu le Père", et qui lui répétait souvent: "Ne peins jamais qu'avec les trois couleurs primaires et leurs dérivés immédiats", une leçon que Cézanne n'oubliera pas. Il exposera encore avec les Impressionnistes au Troisième Salon de 1877, mais se heurtant à un public dérouté et à une critique bornée, il n'eut malheureusement aucun succès. Peu à peu, il exposera toujours davantage. En 1890 ses tableaux sont à Bruxelles à l'Exposition des Vingt. En 1895 il participe à une exposition d'ensemble chez Vollard qui a su mettre ses oeuvres en valeur et qui croit fermement dans son art. À cette même exposition Gustave Geffroy, dont il avait peint un portrait magistral, dira de lui: "Il ira au Louvre", prophétie qui ne tardera pas à se réaliser. En 1898 et en 1899 il est invité au Salon des Indépendants, puis, en 1900, lors de la Grande Exposition Internationale, ses toiles ont les honneurs de la cimaise dans une rétrospective de l'Art Français.

C'est à partir de cette époque que le public commence à l'apprécier et à le comprendre, il devient ainsi un habitué des Indépendants où il exposera encore en 1901 et en 1902. Le Salon d'Automne de 1904 lui consacrera toute une salle.

Le 15 octobre 1906, alors qu'il travaillait sur le motif selon son habitude, quoique souffrant et épuisé, il se laisse surprendre par un violent orage sur la route du Thonolet, face à la Montagne Sainte-Victoire et tombe à terre évanoui. Accompagné chez lui, Rue Boulegnon, par le conducteur d'une voiture de blanchisseur qui l'avait recueilli inanimé sur le bord du chemin, il s'alite et meurt d'une congestion pulmonaire quelques jours plus tard, le 22 octobre, obsédé par la pensée de ne laisser aucune toile inachevée. Il aurait voulu mourir en peignant.

Cézanne nous transmet l'exemple d'une vie hantée par une seule passion, où l'art est ressenti comme une divinité jalouse à qui tout doit être sacrifié, une vie où les circonstances de son existence ne sont racontées que par les oeuvres, puisqu'elles en ont été l'objet unique.

Et c'est un signe de son caractère particulier, que le jour de l'enterrement de sa mère il s'en alla travailler sur le motif au lieu de suivre, comme il est coûtume, l'enterrement: ce n'était pas aridité du coeur ou méconnaissance des bienséances, c'était le plus bel hommage qu'il aurait pu rendre à sa mère.

Il était l'homme d'une seule vocation qui se tenait à l'écart des bourrasques de la passion, politique, métaphysique ou amoureuse qu'elle fût, l'homme dans la vie duquel il y eut peu de présences féminines à part celle d'Hortense Fiquet, sa femme, qu'il épousa lorsqu'elle lui avait déjà donné un fils, Paul.

Le dimanche, il allait à la messe dans la cathédrale du Saint-Sauveur; sa vie spirituelle se limitait à cela.

Et aucune clé véritable ne nous est donnée pour nous permettre d'explorer la réalité de ce mythe. Kurt Badt qui, plus que tout autre peut-être, a su exprimer pleinement la profondeur de la pensée et de l'oeuvre du maître aixois nous dit: "Dans certaines peintures de Cézanne ses expériences intimes viennent à la lumière sous une forme plus ou moins déguisée, et je me suis vu obligé, moi-même, de retarder et de comprendre son art sous cet angle particulier, premièrement en raison de ses aspects subjectifs. Il en résulte que son oeuvre m'est apparue comme une grande *confession*, comme les oeuvres de Goethe et de Delacroix, de Stendhal et de Flaubert, de Stifter et Caspar David Friedrich, et son point de départ, à la manière du XIXème siècle, la souffrance du créateur et sa victoire sur cette souffrance."

Mais il y a aussi dans son oeuvre, "une tristesse de la Provence que personne n'a dite", comme il confiera un jour à Gasquet. Une tristesse que Maurice Brion appelle *romantique, expressionniste*. Sur ce soupçon de romantisme Gasquet interrogea un jour Emile Zola, son ami d'antan, qui lui confirme: "dès sa jeunesse il était furieux de la gangrène romantique qui repoussait quand même en lui. C'était son mal, peut-être l'idée fausse qu'on se sentait parfois la barre en travers du crâne." Cette période, Cézanne l'appelait *couillarde*, qui signifie qu'exempt encore de la discipline rigide qu'il s'imposera plus tard, il donnait libre cours à son tempérament violent et juvénil. Cette tempête intérieure, mais apprivoisée et dirigée dans les franches oppositions de couleurs et de masses, c'est celle que nous retrouvons dans la toile *Les voleurs et l'âne* (appelée aussi *Sancho Pança*) ou dans le tableau de la *Moderne Olympia*, aussi bien celle de la collection Lecomte que celle du Musée d'Orsay que Cézanne brossa quelques années plus tard, en 1873-74, composition pleine de brio où les touches colorées s'égrènent dans une cascade rapide, ou encore dans l'*Orgie* et dans l'*Après-midi de Naples*.

A la période *couillarde* fit suite l'expression, avec la toile du *Nègre Scipion*, la *Madeleine Repentante* et les nombreux portraits dans lesquels les mouvements infligés au pinceau compensent l'immobilité du personnage. Car un portrait n'est pour lui que lignes, volumes et couleurs dans un certain ordre assemblés, comme dans le *Portrait d'Emperaire* ou celui de l'*Oncle Dominique*, le frère de sa mère, habillé en moine ou en avocat. Tableaux où la matière est épaisse, mais lumineuse; portraits qui ne laissent aucune place à l'analyse psychologique, "paradoxe étrange" comme le souligne Guerry dans le commentaire au tableau *le poêle dans l'atelier* de son important ouvrage *Cézanne et l'impression de l'espace*: "tandis que la jeune-fille au piano et sa compagne se figeaient comme des objets inanimés, le poêle, la bouilloire, la pendule surgissent comme des êtres vivants. S'il ne pesait sur lui un lourd chaudron, le poêle, avec ses pieds tarabiscotés, ne tarderait pas à s'avancer vers nous, comme un guéridon de spirite."

Suivant l'exemple de l'école espagnole et de celle hollandaise, Cézanne est attentif "à la vie silencieuse des choses", il est attiré par la poésie des objets familiers de la vie quotidienne. C'est la mutation de l'animé à l'inanimé, ou le contraire, dans une opération qui relève de la pure peinture.

Les paysages de cette période sont grandioses, comme *l'Usine près de la Sainte Victoire*, la *Neige fondue à l'Estaque* ou encore le *Ravin du chemin de fer*, un véritable chef-d'oeuvre, duquel Guerry, dans l'ouvrage cité, dit: "le procédé des écrans que Cézanne emploie souvent d'une façon trop heurtée dans les toiles contemporaines de celle-ci, trouve par une admirable intuition des balancements et des compensations nécessaires, un équilibre rythmique parfait."

Puis sa vision se fait plus simple et il nous offre un admirable *Village de pêcheurs à l'Estaque*, d'une beauté cette fois "classique", dans le sens que Cézanne donnait à ce mot, car il aimait ces paysages, comme il avouera un jour à Gasquet: "les grands paysages classiques, notre Provence, la Grèce, et l'Italie telles que je les imagine, sont ceux où la clarté se spiritualise, où un paysage est un sourire flottant d'intelligence aiguë."

Et le voilà prêt à s'approcher de l'impressionnisme, mais à sa façon, fort différente de celle de Monet, de Renoir ou de Sisley. Suivant les conseils de Pissarro, sa palette s'éclaircit, sa technique change, il procède maintenant par petites touches juxtaposées et superposées jusqu'à l'obtention de l'effet qu'il désire. Etudiant la modulation de la couleur et l'incidence de la lumière sur les objets, il préfère à cette époque le thème des vases de fleurs, *Vase de Delft aux fleurs*, *Géraniums en pots*, *Vase de Tulipes*, ce que L. Guerry explique "par le fait que recherchant l'expression d'une unité atmosphérique, il redoutait que cette unité ne fut compromise par une trop violente opposition entre l'objet et l'espace."

Pissarro insistait pour que Cézanne ne peigne plus que sur le motif; dehors la variété de lumière est plus grande et ceci aurait préservé à ses tableaux une fraîcheur en quelque sorte impressionniste que le travail à l'atelier aurait inhibée.

Et voilà qu'en 1872 on le retrouve sur le motif à Pontoise puis, en 1873 et 1874, à Auvers-sur-Oise où habitait aussi Pissarro. C'est alors qu'il brosse la seconde *Moderne Olympia* - au souvenir du tableau de Manet de 1863 - d'une fougue encore romantique, mais à la technique indéniablement impressionniste; l'aquarelle *La lutte d'amour*, et encore *Tentations de Saint-Antoine*, *Déjeuner sur l'herbe* et la toile déjà citée *Les voleurs et l'âne ou Sancho Pança*. C'est aussi de la période d'Auvers-sur-Oise que datent les premières études des Baigneuses, thème prédominant des grandes compositions des années allant de 1900 à 1905. Il y aura quarante-deux variations sur ce sujet, sans compter les nombreuses esquisses qu'il nous a laissées.

En 1877 il brosse un portrait du fonctionnaire de l'administration des Douanes, M. Victor Chocquet, au chromatisme hardi et violent ainsi qu'une austère *Madame Cézanne cousant*, où le personnage semble s'intégrer dans le décor, figée à jamais dans son essence. Dans le portrait de *Cézanne aux taches roses*, les taches roses du mur sont "conçues comme un accompagnement nécessaire à la cohésion des différents éléments qui composent la physionomie de Cézanne et dont elles constituent ... une réplique formelle presque identique. Ces légers nuages roses sur fond gris, ce sont ceux qui passent aussi sur le visage, le bosselant d'obscurité et de lumières, lui conférant cette expression ombrageuse et changeante" (Guerry). Le procédé de l'*Autoportrait au chapeau* est le même, l'homme s'intègre dans son décor, le visage se fige, l'inanimé s'anime. Alors que le *Cézanne à la casquette* qui date de la même époque, semble tenir davantage de la période romantique-impressionniste du maître.

Les tableaux les plus célèbres de la période d'Auvers-sur-Oise sont *La*

Maison en ruine - 1892-94. Collection particulière USA

Maison du Père Lacroix, les trois *Maison du Docteur Gachet* et *Effet de Neige aux environs d'Auvers*. Toiles qui, bien que n'atteignant pas les irisations chromatiques des tableaux de Monet, sont indéniablement impressionnistes, et aussi *Les peupliers*, où les arbres participent aux vibrations de la lumière et du vent tout en conservant leur immutabilité austère.

Mais le chef-d'oeuvre incontestablement le plus fameux de la période impressionniste de Cézanne est l'universellement connue *Maison du Pendu* que le maître aixois brossa en 1873. La technique est ici innovative. Sous l'influence de Pissarro la palette de Cézanne s'éclaircit, les tonalités sombres, (influence que les grands maîtres avec Delacroix, Daumier et Courbet ont eue sur son art), sont substituées par des nuances plus lumineuses sans toutefois qu'il ne cesse d'utiliser les pâtes denses et même dans certains points la spatule. Le trait est brisé en touches juxtaposées, suivant la technique impressionniste. Mais la structure du tableau confirmait encore le franc désir de Cézanne de rester fidèle à sa volonté de construire rigoureusement son espace, fidèle à sa vocation architecturale. Ce tableau, exprime aussi un choix de nouveaux sujets. Cézanne abandonne désormais les thèmes dramatiques et littéraires pour des sujets insignifiants comme celui-ci, où le motif acquiert sa pleine signification grâce à l'interprétation de l'artiste.

Cette toile, fruit de l'Impressionnisme revu et transformé par Cézanne dans une création personnelle, représenta l'artiste au Centenaire de l'Art Français à l'Exposition Universelle qui s'ouvrit à Paris en 1889, au Champ-de-Mars, pour fêter la Révolution de 1789. La première fois, elle figura cependant, avec d'autres tableaux, à l'exposition du groupe des Impressionnistes de 1874, où elle fut fort mal accueillie. Dans ses mémoires Paul Durand-Ruel, le marchand de la Rue Laffitte qui soutint le combat des Impressionnistes jusqu'à leur victoire, relate: "Le public accourut en foule, mais avec un parti pris évident, et ne vit dans ces grands artistes que des ignorants présomptueux cherchant à se faire remarquer par des excentricités. Il y eut alors un soulèvement général de l'opinion contre eux et un redoublement d'hilarité, de mépris et même d'indignation qui gagna tous les cercles, les ateliers, les salons et même les théâtres où on les tournait en ridicule." La pension paternelle ne suffisant plus à ses besoins, pourtant si modestes, et ses finances s'amenuisant, Cézanne essaiera quelques mois plus tard de vendre également à la vente aux enchères des tableaux impressionnistes organisée par Berthe Morisot, Sisley, Renoir et Monet, le 25 mars 1875 à l'Hôtel Drouot, et qui sera, hélas, un désastre. Dans le *Figaro* Albert Wolff s'en prenait à "ces singes qui se seraient saisis d'une palette." En 1876, nouvelle exposition impressionniste chez Durand-Ruel et nouvel échec. Toutefois, bien que le public parisien continue de rester hostile à une forme de peinture qu'il n'était pas préparé à comprendre, certains critiques commençaient à défendre cette esthétique révolutionnaire et de durs combats s'engagèrent autour de la troisième exposition des Impressionnistes, celle de 1877 de la Rue Peletier dans laquelle Cézanne exposa cette fois dix-sept tableaux qui n'eurent malheureusement pas davantage de succès. Le critique Leroy du *Charivari* recommandait de ne pas montrer à une femme enceinte le portait de Chocquet: "Cette tête, couleur de revers de botte, d'un aspect si étrange pourrait l'impressionner trop vivement et donner la fièvre jaune à son fruit avant son entrée dans le monde."

Mais Georges Rivière, employé du Ministère des Finances et critique d'art, de répliquer dans son journal l'*Impressionniste*: "M. Cézanne est un peintre et un grand peintre ... Ses natures mortes si belles, si exactes dans les rapports de tons, ont quelque chose de solennel dans leur vérité. Dans tous ses tableaux l'artiste émeut, parce que lui-même ressent devant la nature une émotion violente que la science transmet", en mettant enfin le public en garde contre "des imperfections qui ne sont qu'un raffinement obtenu par une science énorme."

Après l'exposition de la Rue Peletier, Cézanne, renonçant à "être livré aux bêtes", s'installera définitivement en Provence où allait s'accomplir la deuxième mutation de sa carrière, celle qui correspond à sa période constructive, dans laquelle il se proposait de "traiter la nature par le cylindre, la sphère, le cône, le tout mis en perspective soit que chaque côté d'un objet, d'un plan, se dirige vers un point central." Enoncé qui a permis à certains critiques de reconnaître en lui le père du cubisme.

Or, sans rien rejeter de ce qu'il avait assimilé pendant les différents moments de son art, de la période qu'il appelait *couillarde*, à l'influence de Pissarro, Cézanne s'éloigne de l'impressionnisme et bien que conservant les prémisses de ce mouvement, il se servira de cette liberté nouvelle pour imaginer des rapports d'espaces différents de la perspective traditionnelle. Ce passage, qui se fait sans cassures, en parfait accord avec la nature "qui ne fait pas de sauts", est la somme d'un nombre infini de transitions, le choix de poursuivre certaines tendances déjà existantes dans sa peinture, au détriment d'autres définitivement repoussées dans une interpénétration de la période qui finit et de celle qui commence. Dans sa lettre à Emile Bernard du 25 juillet 1904 Cézanne définira ainsi sa recherche: "Pour les progrès à réaliser il n'y a que la nature et l'oeil s'éduque à son contact. Il devient concentrique à force de regarder et de travailler. Je veux dire que dans une orange, une pomme, une boule, une tête, il y a un point culminant; et ce point est toujours, malgré le terrible effet: lumière, ombre, sensations colorantes - le plus rapproché de notre oeil; les bords des objets fuient vers un centre placé à notre horizon." Cette évolution lente, fruit d'une maturation intérieure de l'artiste, correspond à la période allant de 1878 à 1895 et elle s'oriente presque exclusivement autour de deux pôles de paysages: le port de l'Estaque, qu'il peindra dix-neuf fois en quinze ans,

et le bourg perché de Gardanne, dans les environs d'Aix-en Provence, dans lesquels le paysage tout entier se comporte comme un seul volume dont la forme seule nous donne l'intuiton d'une troisième dimension. La grande alliance de la forme et de la couleur, caractéristique de cette époque de la vie de Cézanne qui correspond à sa maturité, est illustrée avec une rare magnificence dans les toiles brossées au Jas de Bouffan, le domaine aixois acheté par son père, où d'après Roger Fry l'on retrouve "la lutte entre les tendances baroques de son imagination de visionnaire et les fortes impulsions dans l'autre sens, le sens primitif et presque byzantin de son interprétation de la chose vue." Ce qui fait penser aux synthèses simplificatrices des Primitifs et permet à L. Guerry de comparer la spatialité cézannienne à celle des Primitifs siennois. Encore faut il s'entendre sur la définition du mot primitif, car le primitivisme de Cézanne est le fruit d'une patiente labeur, d'une simplification absolue de la vision ainsi que l'aboutissement de nombreuses expériences picturales. Cette simplicité de primitif il l'expliquera à Gasquet en ces termes: "On a beau dire, c'est la pire des décadences que de jouer à l'ignorance et à la naïveté. Sénilité. On ne peut plus ne pas savoir aujourd'hui, apprendre par soi-même. On respire son métier en naissant." A cette époque Cézanne reprendra aussi un des thèmes traditionnel de l'art français, de Watteau, à Boucher, à Fragonard, Courbet et Renoir, qui est celui des Baigneurs et des Baigneuses, qu'il n'avait d'ailleurs jamais tout à fait abandonné et sur lequel s'axeront en quelque sorte les trente dernières années de sa vie. De cette période aussi date la série des *Arlequins, Madame Cézanne aux cheveux dénoués*, son *Autoportrait sur fond bleu*, et encore *Madame Cézanne au fauteuil jaune* et l'extraordinaire *Mardi Gras*.

La femme à la cafetière et les *Joueurs de cartes* sont les deux oeuvres charnières du passage d'une période à la suivante et aussi leur synthèse. L'année 1895 est une année féconde pour l'art cézannien. Il peint plus de trois cents tableaux, et la plupart comptent parmi ses chefs-d'oeuvre, tableaux peints dans une hâte fébrile qui laissent supposer l'inquiétude de Cézanne de ne pas pouvoir achever l'oeuvre commencée; sept autoportraits, dix-huit portraits de sa femme, trois portraits de son fils, vingt-et-une toiles de *Baigneurs* et de *Baigneuses*, quatre versions du *Jeune homme au gilet rouge*, cinq versions des *Joueurs de cartes*, cinquante-quatre natures mortes et le reste en paysages. Il est inlassable au travail et à l'étude. Un mois avant sa mort il écrivait à Emile Bernard: "J'étudie toujours sur nature et il me semble que je fais de lents progrès. Je vous aurais voulu auprès de moi car la solitude me pèse toujours un peu. Mais je suis vieux, malade, et je me suis juré de mourir en peignant." En 1902 la mort d'Emile Zola l'affecte beaucoup, bien qu'ayant cessé toute relation avec l'écrivain après la publication de l'*Oeuvre*, c'était toute une partie des souvenirs de sa jeunesse qui s'éteignait avec lui. Pendant cette dernière période de sa vie, la recherche de la transparence et de la luminosité le conduit à donner une place importante à l'aquarelle qu'il n'avait utilisée jusqu'alors que comme moyen d'étude. D'après Dorival "plus vibrantes que les peintures, plus spontanées, tout en étant aussi colorées, les aquarelles sont à la fois aussi vraies et plus poétiques, parce que plus suggestives et plus libres, elles répondaient parfaitement aux exigences de son génie." C'est tout particulièrement les natures mortes que Cézanne a traitées à l'aquarelle. Avec le *Dessert*, les *Pommes au pichet et à la bouteille*, le *Cruchon*, le *Crâne* et le superbe *Vêtement abandonné sur une chaise*, qui datent de 1900, le maître aixois n'avait jamais atteint un si haut degré, une telle capacité d'insuffler la vie à la matière inerte, une puissance en quelque sorte expressionniste. Et dans les *Pins secoués par le vent* et les *Pins à Bibemus*, il réalise la perfection qui fait apparenter ses aquarelles aux lavis chinois de la Dynastie Song, du VIIIème au XIIème siècle, dans une perpétuelle ascension vers la lumière. Comment alors ne pas se souvenir des derniers mots de Goethe mourant: "plus de lumière ...", la peinture de Cézanne aussi prend fin en pleine lumière.

1. Village de pêcheurs à l'Estaque - 1870 environ. Collection particulière - *"C'est comme une carte à jouer", écrira Cézanne à Camille Pissarro de ce bourg de l'Estaque auquel il était tant attaché. Sa perception franche et directe de la nature provençale crée sur la toile une profondeur d'émotion intense où les rapports d'espace et de volume sont mesurés et harmonieux.*

2. Joueurs de boules - 1872-1875. Collection particulière, USA - *Vers 1870 commence pour l'artiste une période de simplification formelle dans laquelle il se détache du romantisme caractéristique des toiles précédentes. Suivant le conseil de son ami Camille Pissarro, le peintre a éclairci sa palette; les sujets baignent dans un espace lumineux rendu en touches fines.*

3. Autoportrait - 1880-81 environ. Musée du Louvre, Paris - *La discipline du silence et de l'isolement que Cézanne pratiquait à l'égard des autres se reflète immanquablement dans tous ses autoportraits. Cette toile, peinte vers la quarantième année de l'artiste dégage une extraordinaire énergie. On remarque ici une grande volonté d'abstraire et de simplifier.*

4. Le nègre Scipion - 1866. Museu de Arte, São Paulo - *Ce tableau, que certains considèrent le chef-d'oeuvre du Cézanne romantique, marque le passage de la représentation de la vision intérieure à l'expression. L'immobilité de l'homme est compensée par le mouvement nerveux appliqué au pinceau. Les contrastes des couleurs pures brossées en pâtes épaisses et audacieuses donnent au sujet une fraîche violence.*

5. Portrait de Madame Cézanne - 1872-77. Collection particulière - *Cézanne a peint de nombreux portraits de sa femme Hortense Fiquet qui, avec sa mère, sera la seule présence féminine dans sa vie. L'artiste traite les portraits comme les paysages ou les natures mortes; la cohésion de l'animé et de l'inanimé est étroite, à la fois picturale et plastique, et l'être reste à jamais figé dans son essence.*

6. La maison du pendu - 1873. Musée d'Orsay, Paris - *Cette toile, brossée à Auvers-sur-Oise, où habitait Pissarro, est une des premières de la période impressionniste de Cézanne et certainement l'une des meilleures. Elle faisait partie des tableaux présentés en 1874 à la première exposition des Impressionnistes chez le photographe Nadar, que la critique et le public avaient très défavorablement accueillie.*

7. Le pont de Maincy - 1882-85. Musée du Louvre, Paris - *C'est un des paysages les plus célèbres du peintre aixois dans lequel on peut remarquer la grande importance qu'il donnait à la forme géométrique. Le volume est rendu en touches fines par le jeu de la lumière et des ombres dans les tons des verts et des bleus.*

8. Au Jas de Bouffan - 1882-85. Collection particulière, USA - *Il s'agit du domaine de campagne acheté par le père de Cézanne et où l'artiste aimait aller peindre sur le motif. On y retrouve le désir du peintre provençal de construire le paysage dans une sorte de synthèse architecturale et de simplification extrême de la vision.*

9. Le château de Médan - 1879-81. Glasgow Art Gallery and Museum, The Burrel Collection - *Cézanne allait souvent à Médan, rendre visite à son ami d'enfance Emile Zola qui y habitait depuis 1878. Cette toile, qui appartenait à Paul Gauguin, est brossée en touches rapides montant en diagonale dans une sorte de crescendo dynamique.*

10. Les peupliers - 1879-82. Musée du Louvre, Paris - *C'est avec les paysages que Cézanne préfère réaliser ses recherches picturales; il les compose en réduisant les formes à leurs lignes essentielles, insistant dans cette toile sur la verticalité de l'arbre, qu'il considère un véritable élément structural.*

11. Une moderne Olympia - 1872-74. Musée d'Orsay, Paris - *Lors d'un séjour à Auvers-sur-Oise chez le Docteur Gachet, qui sera aussi le premier propriétaire de ce tableau, Cézanne brossera cette toile pleine de couleurs lumineuses et brillantes. Après une discussion animée sur la peinture, l'artiste aixois improvise cette composition à la technique déjà nettement impressionniste.*

12. L'Eternel Féminin - 1875-77. Collection particulière, USA - *Cette toile date de la même période que la* Moderne Olympia *et présente aussi la même structure pyramidale. La composition de pure imagination est en quelque sorte visionnaire et si la fougue de l'artiste est encore romantique, sa technique de peinture est bien impressionniste.*

13. Nus au bord de l'eau - 1870 environ. Collection particulière, France - *Les deux séjours de Cézanne à Paris, en 1861 et en 1863, lui permirent de faire la connaissance des nombreux artistes qui se rassemblaient autour de Manet et qui donneront lieu au mouvement Impressionniste. La technique de l'aquarelle donne au tableau une luminosité accrue.*

14. Cinq baigneuses - 1885-87. Kunstmuseum, Bâle - *Peignant toujours sur ce même thème, la composition s'axe ici sur les figures féminines, déjà fort simplifiées dans leur monumentalité solennelle et disposées en une construction pyramidale bien équilibrée.*

15. Autoportrait au chapeau - 1879-82. Kunstmuseum, Berne - *Cézanne nous a laissé sept autoportraits qui dénotent une observation attentive de soi-même mais aussi la volonté du peintre d'abstraire et, en quelque sorte, de simplifier, comme dans cette toile où l'analyse géométrique se précise.*

16. La table de banquet - 1875-76?. Collection particulière, USA - *Ce tableau a été brossé à Auvers-sur-Oise, près de Pointoise où habitait Camille Pissarro qui aura une importance considérable dans la peinture du maître aixois. Si la matière est encore épaisse, la palette est maintenant plus claire et le rendu lumineux.*

17. Trois pommes - 1872 environ. Collection particulière - *Suivant l'exemple de l'école hollandaise et espagnole, attentive à "la vie silencieuse des choses" Cézanne était attiré par les objets familiers de la vie quotidienne. La perspective rehausse la structure des volumes. Jamais les études du peintre sur la lumière n'aboutiront à vider les objets de leur forme, comme il arrivait aux autres peintres impressionnistes, mais elles serviront plutôt à l'exalter.*

18. Nature morte aux fruits et à la carafe - 1895-1900. Musée du Louvre, Paris - *Ce tableau appartient à la dernière période picturale de l'artiste dans laquelle la vision de Cézanne s'affirme dans la plénitude de ses moyens. Le sujet est complètement dépassé et le peintre se concentre sur les problèmes de la peinture pour transformer la réalité de la matière en réalité de la peinture.*

19. Nature morte avec Amour en plâtre et Anatomie de Michel-Ange - 1885 environ. Courtauld Institute Gallery, Londres - *"Il n'existe pas de peinture claire ou de peinture sombre, mais seulement des rapports de couleur". Cette maxime de Cézanne a été appliquée dans cette toile où la structure et la géométrie du tableau s'organisent grâce aux contrastes chromatiques.*

20. L'Amour en plâtre - 1895 environ. National Museum, Stockholm - *C'est par la réalisation attentive de la forme que le peintre met en valeur le volume des objets qu'il définit par une simplification des lignes du contour. Les différents éléments assemblés dans un certain ordre donnent un grand dynamisme à l'ensemble.*

21. Madame Cézanne dans la serre - 1890 environ. The Metropolitan Museum of Art, Stephen C. Clark Collection, New York - *Des dix-huit portraits que Cézanne nous a laissés de son épouse, Hortense Fiquet, celui-ci est sans doute le plus célèbre. Il appartient à la période de grande synthèse picturale pendant laquelle l'artiste s'efforçait d'allier l'abstraction au réel.*

22. Portrait de Madame Cézanne en rouge - 1890-94. Museu de Arte, São Paulo - *Aux environs de 1890 Cézanne a brossé plusieurs portraits de sa femme vêtue de rouge. A cette époque il avait déjà abandonné toute perspective pour mieux réussir la synthèse entre la figure et le décor afin d'augmenter ainsi la présence monumentale de l'image.*

23. Les joueurs de cartes - 1890-92. Musée d'Orsay, Paris - *Cézanne consacra cinq toiles à ce thème, cher au Caravage, en l'adaptant cependant à une étude savante des lignes et des volumes. La bouteille, sur laquelle retombe la lumière, partage l'espace en deux secteurs symétriques et accentue ainsi l'opposition entre les deux joueurs.*

24. Le lecteur - 1894-96. Collection particulière, USA - *Il ne restait plus à Cézanne qu'une dizaine d'années à vivre et pendant cette dernière période la fonction du modèle prendra toujours davantage d'importance dans l'art cézannien. Depuis longtemps le tragique avait disparu de ses portraits pour laisser la place à une géométrie solide, assouplie par le naturel de la pose.*

25. Portrait d'Ambroise Vollard - 1899. Musée du Petit Palais, Paris - *Dans la galerie d'Ambroise Vollard, collectionneur et marchand de la Rue Laffitte qui écrira aussi une première biographie de Cézanne farcie de plaisantes anecdotes, le peintre exposera 150 ouvrages en 1895, après vingt années d'absence des expositions parisiennes.*

26. Le garçon au gilet rouge - 1890-95. Collection Bührle, Zurich - *Il existe quatre versions de cette toile représentant Michelangelo Di Rosa, le jeune modèle italien du peintre aixois. Ce tableau est sans doute le meilleur de cette série pour l'harmonie de l'attitude et l'intensité de la couleur.*

27. Fumeur accoudé - 1895-1900. Kunsthalle, Mannheim - *À partir de 1895 et sentant qu'il ne lui restait plus longtemps à vivre, le peintre multiplie ses efforts dans une sorte de fureur créatrice. Il brossera dès lors plus de 300 tableaux dont de nombreux portraits dans lesquels il s'efforce de rendre la synthèse entre la figure et le décor.*

28. Paysan - 1895-1900. Collection particulière, USA - *Le tragique dans lequel se complaisait l'esprit juvénil de Cézanne semble à jamais disparu de ses toiles. Cette toile célèbre de la dernière période picturale de l'artiste nous donne une vision plus apaisée de l'homme, mais une fois encore l'individualité intime du personnage humain s'annule en faveur de sa figure représentationnelle.*

29. La vieille au chapelet - 1900-1904. National Gallery, Londres - *Le peintre travailla pendant 18 mois à ce portrait, reflet de la sympathie de Cézanne pour les personnes qui "avaient vieilli sans faire violence aux coûtumes en s'abandonnant aux lois du temps."*

30. Arlequin - 1888-90. Collection particulière - *Cet ouvrage représente très certainement le fils de l'artiste, Paul, déguisé en Arlequin. Le sol, relevé, fait ressortir les volumes et l'espace a une forme bien précise. L'intérêt de Cézanne pour la figure humaine est de plus en plus évident.*

31. Arlequin - 1888-90. Collection particulière, USA - *Comme le précédent, ce tableau appartient à la série des Arlequins brossée pendant les années allant de 1900 à 1904, délai d'ailleurs trop court pour que l'on puisse parler d'une obsession. Ce thème se rattacherait plutôt à la tradition française des farces populaires du temps de Le Nain.*

32. Nymphes au bord de la mer (côté gauche) - 1890-94. Musée du Louvre (Orangerie), Paris - *Il s'agissait à l'origine d'une toile unique, coupée par la suite en trois parties mais dont la partie centrale, qui représentait une barque, a été perdue. Elle avait été réalisée pour décorer l'appartement de Choquet qui en 1888 lui avait commandé un placard. Cette peinture, qui n'était pas encore achevée à la mort de Choquet en 1891 a fait partie de la vente de la collection Choquet réalisée en 1899.*

33. Nymphes au bord de la mer (côté droit) - 1890-94. Musée du Louvre (Orangerie), Paris - *Pendant la dernière période de son art Cézanne montra un intérêt accru pour la figure humaine et tout particulièrement pour le thème des baigneurs et des baigneuses brossés dans un équilibre harmonieux entre la vigueur dynamique des corps et le décor, jusqu'à l'obtention d'une parfaite synthèse d'expression où les figures se fondent avec l'architecture du paysage.*

34. Village vu à travers les arbres - vers 1885. Kunsthalle, Brême - *La réalité fournit le point de départ à l'imagination et la vision se transforme chemin faisant. Ainsi, d'un sujet comme celui-ci, en soi purement naturaliste, Cézanne tire des variations abstractisantes et la peinture trascend les données de départ.*

35. La route de l'étang - 1879-82. Kröller-Müller Stichting, Otterlo - *Pendant les années allant de 1879 à 1882, Cézanne a maintes fois brossé le motif de la route tournante qui s'annonçait déjà dans quelques peintures vers 1870 et qu'il a ensuite plusieurs fois repris.*

36. La maison abandonnée - 1892-94. Collection particulière, USA - *Dans les paysages de la période synthétique, l'unité de la composition découle d'une fusion fluide et transparente des couleurs. La toile acquiert ainsi une solidité homogène où le chromatisme accentue la force de synthèse.*

37. Rochers dans le bois - 1894-95. Kunsthaus, Zurich - *Il s'agit très probablement d'une vue de la forêt de Fontainebleau mais toute localisation est superflue puisque — d'après Cézanne — "la nature est toujours la même... notre art doit nous la faire goûter éternelle."*

38. Les Grandes Baigneuses - 1898-1905. Museum of Art, Philadelphie - *Cet ouvrage est considéré "le chef-d'oeuvre de la fantaisie architectonique de Cézanne." L'Arc, la petite rivière qui coule près d'Aix fournit le décor à cette composition où les formes et les couleurs se diluent dans l'atmosphère donnant à la toile une apparence impressionniste qui, pour Cézanne, est avant tout construction.*

39. Dans le parc du Château Noir - 1900 environ. Musée du Louvre, Paris - *Ce tableau appartient à la période de la grande synthèse bien que le thème de l'arbre secoué par le vent, et considéré en tant qu'unité structurale, se retrouve pendant toute la vie picturale de Cézanne.*

40. La montagne Sainte-Victoire - 1904-06. Museum of Art, Philadelphie - *Le lien affectif de l'artiste avec ce paysage ajoute une signification nouvelle au principe de la représentation des choses. La vision se recrée en fonction de l'imaginé dans une représentation lumineuse et transparente.*

41. La montagne Sainte-Victoire - 1904-06. Kunsthaus, Zurich - *Souvent dans cette dernière période Cézanne laisse dans ses tableaux des blancs où l'on voit la toile nue. Ces vides, loin d'être une impuissance à achever, sont des espaces où rebondit la couleur trop intense de la touche voisine, en permettant la fusion optique de deux tonalités proches qui n'auraient pas supporté la juxtaposition.*

42. Femme nue debout - 1895 environ. Musée du Louvre, Paris - *Peinte pendant la même période des Arlequins, cette esquisse au crayon, à l'aquarelle et au pastel représente une femme large, forte et mûre qui est le type même de la femme habituellement brossée par Cézanne.*

43. Toits - 1904 environ. Collection particulière, USA - *À cette époque Cézanne préférait peindre des aquarelles dans lesquelles le rendu de la lumière est plus immédiat, ce qui ne diminue aucunement la grandeur géniale de cette huile sur toile brossée deux années avant sa mort.*

44. Le Cabanon de Jourdan - 1906. Collection Riccardo Jucker, Milan - *La phrase célèbre de Cézanne, devenue la "charte du cubisme" et par laquelle il proposait de traiter la nature par le cylindre, la sphère, le cône, le tout mis en perspective..." est dans ce tableau magnifiquement appliquée.*

1. *Village de pêcheurs à l'Estaque* - 1870 environ. Collection particulière

2. *Joueurs de boules* - 1872-1875. Collection particulière, USA

3. *Autoportrait* - 1880-1881 environ. Musée du Louvre, Paris

4. *Le nègre Scipion* - 1866. Museu de Arte, São Paulo

5. *Portrait de Madame Cézanne* - 1872-1877. Collection particulière

6. *La maison du pendu* - 1873. Musée d'Orsay, Paris

7. *Le pont de Maincy* - 1882-1885. Musée du Louvre, Paris

8. *Au Jas de Bouffan* - 1882-1885. Collection particulière, USA

9. *Le château de Médan* - 1879-1881. Glasgow Art Gallery and Museum, The Burrel Collection

10. *Les peupliers* - 1879-1882. Musée du Louvre, Paris

11. *Une moderne Olympia* - 1872-1874. Musée d'Orsay, Paris

12. *L'Eternel Féminin* - 1875-1877. Collection particulière, USA

13. *Nus au bord de l'eau* - 1870 environ. Collection particulière, France

14. *Cinq baigneuses* - 1885-1887. Kunstmuseum, Bâle

15. *Autoportrait au chapeau* - 1879-1882. Kunstmuseum, Berne

16. *La table de banquet* - 1875-1876?. Collection particulière, USA

17. *Trois pommes* - 1872 environ. Collection particulière

19. *Nature morte avec Amour en plâtre et Anatomie de Michel-Ange* - 1885 environ. Courtland Institute Gallery, Londres

20. *L'Amour en plâtre* - 1895 environ. National Museum, Stockholm

21. *Madame Cézanne dans la serre* - 1890 environ. The Metropolitan Museum of Art,
Stephen C. Clark Collection, New York.

22. *Portrait de Madame Cézanne en rouge* - 1890-1894. Museu de Arte, São Paulo

23. *Les joueurs de cartes* - 1890-1892. Musée d'Orsay, Paris

24. *Le lecteur* - 1894-1896. Collection particulière, USA

25. *Portrait d'Ambroise Vollard* - 1899. Musée du Petit Palais, Paris

27. *Fumeur accoudé* - 1895-1900. Kunsthalle, Mannheim

26. *Le garçon au gilet rouge* - 1890-1895. Collection Bührle, Zurich

28. *Paysan* - 1895-1900. Collection particulière, USA

29. *La vieille au chapelet* - 1900-1904. National Gallery, Londres

30. *Arlequin* - 1888-1890. Collection particulière

31. *Arlequin* - 1888-1890. Collection particulière, USA

32. *Nymphes au bord de la mer (côté gauche)* - 1890-1894. Musée du Louvre (Orangerie), Paris

33. *Nymphes au bord de la mer (côté droit)* - 1890-1894. Musée du Louvre (Orangerie), Paris

34. *Village vu à travers les arbres* - vers 1885. Kunsthalle, Brême

35. *La route de l'étang* - 1879-1882. Kröller-Müller Stichting, Otterlo

36. *La maison abandonnée* - 1892-1894. Collection particulière, USA

37. *Rochers dans le bois* - 1894-1895. Kunsthaus, Zurich

38. *Les Grandes Baigneuses* - 1898-1905, Museum of Art, Philadelphie

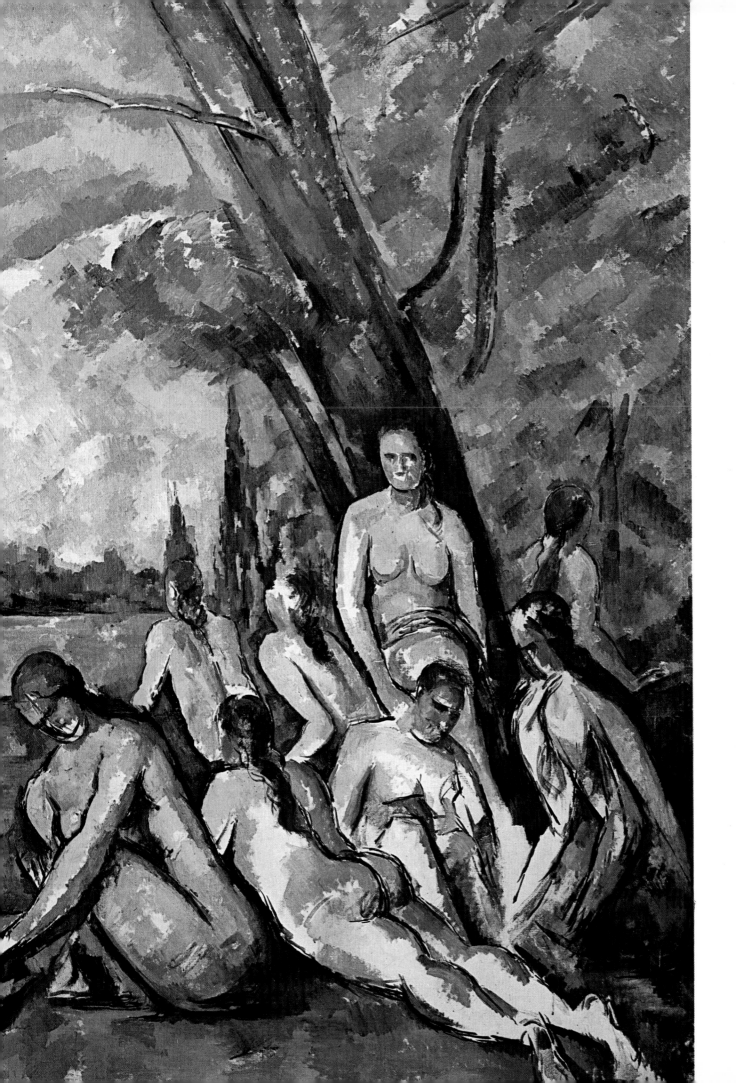

39. *Dans le parc du Château Noir* - 1900 environ. Musée du Louvre, Paris

40. *La montagne Sainte-Victoire* - 1904-1906. Museum of Art, Philadelphie

41. *La montagne Sainte-Victoire* - 1904-1906. Kunsthaus, Zurich

42. *Femme nue debout* - 1895 environ. Musée du Louvre, Paris

43. *Toits* - 1904 environ. Collection particulière, USA

44. *Le Cabanon de Jourdan* - 1906. Collection Riccardo Jucker, Milan

Direction de l'édition: Anne Marie Mascheroni

Direction artistique: Luciano Raimondi

Texte rédigé par: Deanna Bernar

Photos: Archives du Gruppo Editoriale Fabbri S.p.A., Milan

© 1988 Gruppo Editoriale Fabbri S.p.A., Milan

Première édition publiée en 1988 par CELIV, Paris

Imprimé par Gruppo Editoriale Fabbri S.p.A., Milan

ISBN 2-86535-079-7